我的吸血鬼同學

17
生死相隨

創作繪畫・余遠鍠　　　故事文字・陳四月

目錄

迦南

擁有金黃魔力的人類少女。好奇心重，領悟力強，平易近人的她曾被黑暗勢力封印起她的魔力。現時是西方學園的學生。

安德魯

吸血鬼高材生。外形冷酷，沈默寡言，與迦南兩情相悅。曾因血癮而誤入魔道。

卡爾

胃口極大的人狼。是學園小食部常客，身材健碩，熱愛跑步，經常遲到的他和安德魯自小已認識。

四葉

來自東方學園的九尾妖狐少女。活潑好動而且十分熱情的她和卡爾有婚約在身。和迦南一樣，四葉也擁有金黃魔力。

阿諾特

吸血鬼一族的王子，是被寄予厚望的天才。追求力量和榮耀的他自視高人一等，對同樣被視為天才的安德魯抱有敵意。

唐三藏

東方學園的年輕教師，和迦南一樣是人類。法術高強的她美貌與智慧並重，心地善良以作育英才為己任。

孫悟空

在東方魔幻世界中無人不知的名字。失去記憶的他只知道自己要保護唐三藏，但為什麼變成了小猴卻是謎團。

右京

現存人數不多的忍者一族的領袖，不單法術了得，還天生具備獨特異能。曾經是獵人的他和丹妮絲關係密切。

金鈴

來自女兒國的特別導師，深受女帝愛戴和重用。足智多謀，而且心狠手辣，是盤絲洞蜘蛛女妖銀鈴的姐姐。

依娃

稀有的不死族妖魔，不老不死的她已經活了幾百年。被封印在魔法瓶子內的她仍相信總有一天能回到九頭蛇海德拉身邊。

鐵扇公主

來自帝都的特別導師，驍勇善戰巾幗不讓鬚眉，而且擅長烹飪。是和魔王指腹為婚的未婚妻。

加百列

世上僅有的七名「守望者」之一，隸屬於公會總部，擁有任意指揮專業獵人的權力，是最高級獵人的象徵。

我的
吸血鬼同學

第一章
解放心中惡魔

　　東方學園望月樓內，唐三藏老師正被軟禁於此；這幢建築物被施加了強大**封印**，等同於巨大的法術器具。

　　「外面到底發生什麼事了？」唐三藏聽到望月樓外騷動的聲音，但她無法看見外面的景象，使她擔心得坐立不安。

　　望月樓外，白龍身受重傷躺在血泊之中；鐵扇公主被牛魔王牢牢抓住無法反抗；數十個學生受到金鈴所控制，狂性大發襲擊望月樓外的守衛，而安德魯更**殺氣騰騰**的步向望月樓。

　　「安德魯……你給我站住！」及時趕到的小猴再次衝破封印，重現齊天大聖孫悟空的姿態。

小猴曾經因為安德魯身上滲透的絲絲邪氣和殭屍氣味，而懷疑他和妖魔仙人有關，但他還是選擇了信任安德魯。

「你竟然背叛我……想傷害我師父！」伸延的金剛棒直指安德魯，被憤怒沖昏頭腦的孫悟空根本不知道安德魯和其他同學一樣，受無形的金絲操控住。

安德魯失去了身體的主權，已成扯線木偶的他動作更凌厲，攻擊手法更兇狠。避開金剛棒後，直奔向孫悟空面前揮舞利爪。

「枉我把你當作好知己，好兄弟！」孫悟空**不閃不避**，一邊承受安德魯的爪擊，一邊以重拳還以顏色。

安德魯能感受孫悟空的怒火，就像他看到迦南受傷，自己也會激動無比。孫悟空的重拳盛載著對唐三藏滿滿的珍惜，如同安德魯為了守護迦南而奮不顧身，孫悟空一樣義無反顧。

「原來是這麼沈重的……」
不消一會安德魯便被孫悟空
壓制地上，吃下連番重擊。

在安德魯的意識世界
內，他的身體**不受控制**
已經不是第一次，只不過這
次束縛安德魯的不是鎖鏈，
而是金絲。

「由他吧……我已經不想再
撒謊了。」對迦南、對小猴、對
唐老師，還有對和他出生入死的
朋友，安德魯一直隱瞞著。

無法背棄救命恩人，更無法奪去無辜性命，
飽受折磨的安德魯已身心疲累，不想再掙扎下
去。

「在**自暴自棄**嗎？」熟悉的聲音再次出
現，安德魯很清楚他的意識世界裡還有誰。

身穿白色西裝，和安德魯容貌一模一樣的人，是他的**心魔**，他埋藏心底的陰暗面。

「若不是害怕血癮發作，害怕身體被你奪去，我就不會接受銀鈴的針灸治療，不會落得如斯田地！」安德魯勃然大怒。

「你還要繼續**自欺欺人**嗎？」相比起上一次見面，這次安德魯的心魔平靜得多。

「你……到底想說什麼？」安德魯所面對的，是他的內心，他沒法欺騙的人。

「對抗血癮的方法，由始至終只有一個，**就是靠你的意志！**是你不敢相信自己，才讓銀鈴有機可乘。」心魔說穿了安德魯的懦弱。

「我在皇城保衛戰裡，差一點便成了殺人兇手，還不小心傷害了迦南，你叫我怎相信自己？叫我怎背負嗜血的魔咒留在迦南身邊？」當日的戰況成為了安德魯心中的陰影，像背著**計時炸彈**長處於不安之中。

「難道你不覺得，你可以把這些問題都交由迦南和你一起承擔嗎？」不只樣貌相同，安德魯和他的心魔也喜歡著相同的人。

「迦南……」安德魯沒有想過和迦南分擔自己的苦難，他只把美好的一面展示給迦南看。

「迦南可是能在我手上救走你的厲害女孩啊，你不覺得是她的話，一定會沒問題嗎？」因為喜歡著相同的人，心魔也不想迦南難過。

「你說得沒錯，就算我辦不到……只要和迦南**在一起**，就能辦得到。」安德魯醒悟到現在還不是放棄的時候。

為了守住迦南的笑容，心魔也可以讓步：

安德魯回復了自信。

「因為我還要吸光迦南的血液，若然她終日哭哭啼啼，味道會變壞的。」唯有承認自己的軟弱，面對自己的陰暗面，人才能更進一步。

「迦南不會讓你這樣做的，因為**她是最厲害的女生**。」安德魯召喚起雷電，纏繞身上的金絲被灼熱燒毀。

那些接受過針灸治療的同學，後頸椎上都被插入了一條看不見的金針，只要摧毀金針就能阻止他們繼續被金鈴擺佈。

「身體能夠動起來了。」雷電替安德魯解除束縛，也令**怒氣沖天**的孫悟空稍稍退後。

「終於肯開口說話了嗎？你這騙子！」但這無法令孫悟空冷靜下來。

「你先聽我解釋，這一切都是蜘蛛女妖金鈴在背後操控……」安德魯嘗試解釋。

「你這樣說就不對了，其他同學的確是**無辜**的，但你可不是啊，你和妖魔仙人一樣是唐三藏的敵人，一樣想以她的性命令殭屍復活。」金鈴的聲音響亮迴蕩，但她還是隱藏身影不肯曝光。

因為金鈴如意算盤被打破，孫悟空和安德魯成為了最大的變數。

「右京不是說過小猴已無法再變身嗎？為什麼孫悟空又會出來阻頭阻勢的？還有這吸血鬼，竟有這麼驚人的力量！」金鈴正在思考對策。

「**幕後黑手**果然是女兒國派來的傢伙……牛魔王大人從未抱過我的，雖然不捨得，但必須先拯救白龍。」鐵扇公主拼命掙扎，牛魔王臂力驚人。

「你無話可說了吧？」孫悟空兩手緊握如意金剛棒，魔力在棒上燃起烈火。

「是我辜負了你，但比起繼續爭辯，我們還有更迫切的事情要做。」安德魯不想糾纏下去，只不過他的對手和他想法不同。

「對，當務之急是我狠狠揍你一頓，再拖你到師父面前跪地認錯！」孫悟空已一躍來到安德魯面前，準備**迎頭痛擊**。「迅雷霧化。」安德魯霧化閃避，穿過孫悟空的身體。

「雷鳴魔法，漫天雷雨！」當務之急是解放同學們身上的束縛，不讓金鈴有機可乘。

　　「我……為什麼會在這裡？為什麼會對公主做這麼失禮的事？」數十度落雷擊打在同學們身上，牛魔王率先回復知覺。

其他同學也接二連三蘇醒過來，他們都一頭霧水，不知事情的來龍去脈，更不知為何眼前正上演著灼焰和雷鳴的激烈戰鬥。

人界教堂之內，阿諾特剛知道了一個驚人的消息。在搗破偽裝成發電廠的實驗工場期間，鳥人露比發現了失蹤多時的黑魔法派領袖——

九頭蛇海德拉。

被捲入黑洞魔法的海德拉沒有失去性命，但他不像安德魯般幸運被馬家姐妹拯救，而是落入奸險之人手中。

「海德拉果然沒有死，這樣我便有機會找他算帳，**一雪前恥**。」對阿諾特來說，這是一個好消息。

任何小看過阿諾特的人，他也要用自己的實力令他們後悔，阿諾特自尊心重的性格一點也沒有改變。

「老大……那些人類竟然利用海德拉來做不知名的實驗，你不害怕嗎？」露比覺得十分不安。

「害怕什麼？」阿諾特不以為然。

「就連黑魔法派的領袖也束手無策的對手，我們真的有能力應付嗎？」露比覺得事態已超出她的能力範圍。

「如果這樣就害怕，我往後如何在地下世界建立**新的秩序**？那些不法分子對小靈做的人體實驗我絕對無法容忍，放任他們不管只會有更多人受害。」阿諾特要貫徹信念，不會就此停下腳步。

「但我們現在沒有任何線索了，實驗工場的爆炸連帶所有證據都一起銷毀，我們的下一步該怎樣做？」黑狼組首領——人狼奇洛問。

17

正當阿諾特思考著對策之際，小貓女菲蕾，
還有艾翠絲抱著小靈氣急敗壞的走到他面前。

老大！
大件事了！

菲蕾叫苦連天。

「小靈她全身發燙，突然昏倒了。我想⋯⋯必須立即送她去醫院接受治理。」艾翠絲擔憂著說。

「你們有相熟的醫生嗎？」但阿諾特知道小靈不能去普通醫院，因為她雙手鐲嵌著蘊含魔力的發光晶石。

雖然沒有物證，但小靈的存在正是**不法之徒**進行人體實驗的活生生證據，對於他們來說，小靈是不能存活下去的。

實驗工場被毀，右京帶著相關人士轉移陣地，他的老闆**富可敵國**，藏身地點多不勝數。更重要的是這位從不露出真身的幕後主謀，不只有錢財，還有勢力。

會議室內正進行視像會議，右京和虎力大仙交代發電廠的損失情況，設施接二連三遭受破壞令他龍顏大怒。

「你們連那小小的一隻吸血鬼也解決不了嗎？」阿諾特已成為幕後主謀的眼中釘。

「老闆……那吸血鬼總是帶著公會獵人在身邊，我們難以行動……」虎力大仙說。

「殺害公會獵人是十分嚴重的罪行，公會不會『**隻眼開、隻眼閉**』的。」前公會獵人右京很了解公會的體制，雖然人數和規模也在減少，但公會還是在人類世界最具影響力的團體。

「吸血鬼和獵人不用你們再處理了，我已

安排專家應付，你們只需要管好武器和殭屍這兩樣商品，我投資了這麼大筆的金錢，一定要得到豐厚的回報。」辦事不力的右京和虎力大仙被叫出了會議室，而幕後主謀並不打算放任阿諾特的羽翼成長下去。

自從知道小孩子被用作進行**人體實驗**後，右京已愈來愈疑惑。

以助紂為虐、濫殺無辜為代價，換來忍者村落得以傳承，這樣真的值得嗎？對忍者來說真的是好事嗎？

「我會在短時間內捉到唐三藏，孫悟空和海德拉那兩邊，真的沒問題嗎？」虎力大仙對捉拿唐三藏胸有成竹。

「只要我還活著，施加在他們身上的特殊封印便不會消失，你不用替我擔心，好好完成殭屍大軍和女帝進行交易吧。」右京和虎力大仙只是工作伙伴，他們對彼此互有不滿。

「想不到為了忍者，你可以眼看著其他人類受苦，他們可是你的同胞啊。」虎力大仙語帶嘲諷。

「把死者當作生財工具的你，沒資格對我說三道四。我到現在也不明白，你們妖魔三大仙真正的目的是什麼？真的只為了金錢？真的只希望天下大亂？」右京心中有愧，但虎力大仙的所作所為也不遑多讓，所以對他的問話很不屑。

「你有沒有想過，如果沒有死亡，世界會變成怎樣？」永生不死，無論人類還是妖魔也夢寐以求。

「廢話連篇！世上沒有不會死的生物，又怎會有你所說的情況。」右京覺得虎力大仙荒謬絕倫。

如果世上只餘下殭屍，那不正正是虎力大仙描述的世界？

「我只是說如果罷了，如果……」虎力大仙**笑裡藏刀**，沒有人知道他真正盤算的，到底是什麼。

　　在右京和虎力大仙離開之際，一股神聖而強大的魔力和他們擦身而過，右京轉身一看，被散發魔力的紅髮男人嚇得目瞪口呆。

「是你認識的人嗎？」虎力大仙問。

「那藍色的獵人制服，是公會**總部**的重要成員才有資格穿著，為什麼總部的人會來找我們的老闆？」曾是公會獵人的右京也未曾有過這樣的制服。

那是直接隸屬於公會總部部長的獵人——**「守望者」**獨有的制服，他們擁有任意指揮專業獵人的權力，是公會中最高級獵人的象徵。在人類世界裡，能成為守望者的，就只有僅僅七人。

這位守望者走進會議室，他就是幕後主謀所安排的專家，獵人公會和他的集團有著不可分割的關係。

「我的設施和物業先後受到這吸血鬼和他的同黨破壞，他的身邊還有你們公會的小職員，貴為守護人類的正義組織，你能替我解決這班犯罪者嗎？」幕後主謀很清楚公會的規則，獵

人就是為了保護人類而存在。

「當然沒問題，你可是公會最大的資助者，是我們的貴賓啊！」男人的外表善良友善、笑容可掬。

獵人公會是靠人類的金錢資助，才能長長久久繼續營運，獵人保護人類、人類養活獵人，彼此關係緊密，**唇亡齒寒**。也正因為這樣的關係，公會所有規則也是以保障人類為最優先。

「那就拜托你了，聖光的守望者──**加百列**。」為了對付阿諾特，公會居然派出最高級別的獵人。想在地下世界佔一席位的阿諾特，惹上大麻煩了。

公會的正義與艾爾文和艾翠絲所想的，明顯有所不同，在重要時刻來臨時，艾翠絲將要作出影響終生的選擇。

◆第三章◆
迦南的選擇

東方學園望月樓外，重獲自由的學生們和守衛都受傷不淺，當中情況最危急的，莫過於被安德魯所傷的白龍。

白龍，支持住……若然你死了的話，事態會變得更嚴重的。

鐵扇公主正為白龍治理傷勢，無奈白龍受到致命的傷害，命懸一線。

「鐵扇公主……這裡到底發生什麼事了？白龍又為什麼會身受重傷？」牛魔王對現狀充滿疑慮。

「是那吸血鬼做的，雖然是金鈴在背後操控，但他和妖魔仙人一樣，目標是捉拿唐三藏。」鐵扇公主目睹案發經過，安德魯的罪行鐵證如山。

「安德魯？不會的……他是卡爾最信任的朋友，怎會做出傷天害理的事？」牛魔王從卡爾口中知道不少安德魯的事。

「現在最重要的是保住白龍的性命，四海的王子若命喪於此，四海和女兒國的戰爭在所難免，我們帝都也不能**置身事外**。」鐵扇公主不是治療法術的專家，只能作簡單的應急措施。

「為什麼還未有增援趕到的？東方學園的師生全都在睡覺嗎？」眼見白龍臉色蒼白，鐵扇公主焦急起來。

但是焦急也**無補於事**，因為他們身處的位置被結界包圍住，外面的人無法進入也不知道他們正身陷險境。

孫悟空和安德魯的對戰愈來愈激烈，不接受任何解釋的孫悟空**勢不可擋**，滿腔怒火把安德魯打得節節敗退。

「千猴分身法術！」孫悟空變化出無數分身，對安德魯窮追猛打。

「不能繼續下去……小猴現在不會聽我解釋。」安德魯飛上空中躲避。

「休想逃跑！」腳踏筋斗雲的孫悟空馬上追趕。

「你不慍不火的攻擊是阻擋不了這猴子的。」安德魯清楚聽到心魔的聲音。

「的而且確，不能再手下留情了。」只要目標相同，心魔也能成為安德魯的助力。

「極限雷電魔法！天羅地網！」安德魯傾力使出的電網鎖毀所有分身，孫悟空終於受到傷害。

「不裝作無辜受害者了嗎？這樣正合我

意！」孫悟空無視傷勢衝破電網。

「再兇狠一點。」心魔在安德魯耳邊說。

安德魯的目光變得銳利，動作也變得比剛才靈活，唯有不再抑壓自己，安德魯才能有所突破。

「這才是你的真面目吧？你知道自己現在有多麼面目猙獰嗎？」孫悟空全力揮棒，被安德魯兩手抓住。

金剛棒映照出安德魯的樣子，就連安德魯自己也對自己感到害怕，但他不能退縮，否則只會成為孫悟空棒下亡魂。

只有活著離開，安德魯才有機會揭開真相，才能阻止女兒國和妖魔仙人的陰謀。

「裡面到底發生什麼事了？」四葉和卡爾本來在吃過宵夜後便一起散步，但奇特的結界引起了兩人的關注。

「四葉、卡爾，你們也發現異樣了嗎？」愛莉帶艾爾文四處走訪東方學園的途中，同樣被結界吸引了目光。

「嗯……卡爾嗅到安德魯和血的味道，不知道結界內到底發生什麼事了？」四葉忐忑不安。

「自從上次和安德魯碰面後，我便開始有不好的預感……他的身上散發著邪惡的氣息，那是他過去沒有的。」艾爾文直覺敏銳。

「四眼獵人，你在暗示什麼？」卡爾態度不滿的問。

「這裡是望月樓的所在地，是唐三藏被禁足的地方，你認為安德魯為什麼要來這裡？」艾爾文不轉彎抹角。

除了孫悟空的怒火、旁人的指責，安德魯將要面對的，還有朋友的懷疑。

「不知道！你想知道的話便親口問安德

魯。」卡爾激動的說。

「唐三藏上次遇襲的時候，安德魯也同樣在場，你不覺得時間太巧合了嗎？」艾爾文是獵人，是靠搜尋線索和證據的執法者。

卡爾揪起艾爾文的衣領：

你再說安德魯的壞話，別怪我對你不客氣！

「我也不希望事情和安德魯有關，但安德魯有嫌疑是不爭的事實。」艾爾文和卡爾爭持不下。

「你們不要吵架啦，大家都是朋友呀！」愛莉沒想過氣氛會變得這麼緊張。

「若能**打開結界**……就能知道答案。」卡爾和艾爾文爭論期間，四葉一直在嘗試破解結界。

結界之內，安德魯已快支持不住；就算結界消失，安德魯也會面臨嚴重指控，受到千夫所指。除非有人能在這危急關頭，帶他遠走高飛。

「大家快看，是迦南！」愛莉指向上空，迦南騎著魔法掃帚飛向結界。

就算千千萬萬人都不相信安德魯，只要有一個人願意相信他，他就有如得到**千軍萬馬**的援助，這個人就是迦南。

「迦南，那裡受結界保護，你是闖不進去的！」迦南向結界高速飛行，在封印瓶中的依娃慌張地說。

「不……我能辦得到，雖然不知道原因，但我感覺到我能辦得到。」迦南感應到體內的魔力正在沸騰，給予她無所不能的勇氣。

「安德魯在等我，我不能停下……」』

迦南向結界伸出右手，以堅定的信念做到令人難以置信的事。

結界受到金黃魔力的拉扯，逐漸變形扭曲。

「但你真的想清楚了嗎？幫助那小子會被視為共犯的。」迦南的堅定，令依娃十分錯愕。

過去溫馴和善的迦南，是個**循規蹈矩**的乖學生。不會製造麻煩、不會違法亂紀，就算得到莫大的力量，也只想著怎樣作出貢獻，服務他人。

「經歷過安德魯失蹤的這段時間，我變得更清楚……只要一想到再次失去他，我便害怕得**全身發抖**。」迦南的魔力，壓倒了金鈴的魔力，在結界上扯穿一個大洞。

「無論誰是誰非、無論安德魯的選擇是什麼，我依然會站在他的身邊！」分別的日子已過得太久，迦南下定決心，不讓歷史重演。

第四章

紅顏知己．上

人界的某個唐樓舊區內，有間特別的診所不分晝夜二十四小時營業，前來看診的病人全都是在人界生活的妖魔。

鳥人露比也是這診所的熟客，她帶領阿諾特和艾翠絲深夜拜訪，因為小靈的身體狀況十分異常。

「病人的身體狀況已經穩定下來，只要在這裡休息一晚，明天再作檢查便能離開。但……到底是誰這麼殘忍，拿小孩子來進行實驗？」穿著白大袍的唐醫生全身用繃帶包裹著，看似木乃伊般，令人**毛骨悚然**。

「我也想知道！被我抓到那些混蛋的話，我一定要他們嚐嚐生不如死的滋味。」阿諾特語出驚人，他已難掩心中怒火。

「唐醫生，你能取下她手背上的發光水晶嗎？」艾翠絲也十分生氣，但她更擔心阿諾特會做出過火的行為。

「不……這種蘊藏魔力的發光水晶已成為她 **身體的一部分**，強行移除會危及病人的性命。」面對從未有過的案例，唐醫生愛莫能助。

「小靈是在對我進行了占卜後，才突然倒下的。」艾翠絲對占卜的結果還是耿耿於懷。

「唯一可以做的，就是別讓她繼續使用魔力，否則她的病情會持續惡化。」唐醫生說。

離開診所後，艾翠絲還是悶悶不樂，小靈說過在不久的將來，艾翠絲將會向阿諾特開槍，這不再是艾翠絲開的玩笑，而是血花四濺的未來片段。

「唐醫生不是說了小靈沒有大礙嗎？你別愁眉苦臉了。」阿諾特主動安慰艾翠絲。

「嗯……」艾翠絲強顏歡笑，她不想告訴阿諾特占卜的內容。

「你不願意和大家一起在教堂生活，我送你回家吧。」阿諾特曾提議過，奈何身份有別，獵人住在妖魔的巢穴引人非議。

「我可是個隨身攜帶槍械的獵人啊，你不用特意送我回家呀。」艾翠絲隨手就能拿出武器。

「就算是獵人，你同樣是一位女生，男生護送女生回家，是紳士應有的風度。」阿諾特表情輕鬆，和艾翠絲獨處的時間，他才能放下怒火。

「比起紳士，你更像個**黑幫老大**呢。」艾翠絲同樣感到放鬆和舒坦。

「你好像已經把我是王子的尊貴身份，忘記得一乾二淨，能得到本王子護送，你實在三生有幸。」阿諾特微笑著說。

在不久的將來，阿諾特會很懷念這樣的日子——能和艾翠絲並肩而行，**談笑風生**的日子。

「你說得對呢，小女子實在感激不盡……」艾翠絲敷衍地說。

而艾翠絲也會很懷念——懷念阿諾特在伸手可及的距離。

東方學園望月樓外，迦南的出現打破了安德魯和孫悟空僵持不下的局面。

迦南的手鐲變化成魔法道具，射出的光箭迫孫悟空退避三舍。

魔法光箭。

迦南，連你也是和這小子一伙，合謀想傷害我師父嗎？

孫悟空被怒火沖昏頭腦，想以道理說服她，似乎已沒有可能。

迦南，我……

安德魯喜出望外，但要怎樣解釋他還未準備好。

「現在不是解釋的時候，我們⋯⋯先逃離這裡吧。」迦南頭腦清晰，若被校方當場逮捕，安德魯難以洗脫嫌疑。

你們休想逃跑！

孫悟空迎面而來，全力揮舞金剛棒。

「防禦魔法，橡皮球。」迦南預算到孫悟空的行動，橡皮球包裹住她和安德魯，借助孫悟空的力氣一飛沖天。

「筋斗雲，追！」但要擺脫齊天大聖又談何容易，孫悟空追著兩人，逐漸遠離了望月樓。

隨著結界消失，四葉等人已來到鐵扇公主所在的地方，看著週圍都是受傷的同學和守衛，全都嚇了一跳。

「白龍老師！」愛莉趕到她的特別導師身旁。

「白龍情況危急……你們立即送他往保健室救治。」鐵扇公主說。

愛莉緊張地問。

是誰傷害老師的？

你們的朋友——
吸血鬼安德魯……

目睹整個案發經過的鐵扇公主也不知道該怎樣說明，但她確信事情還未結束，因為由始至終，金鈴並沒有現身。

迦南帶著安德魯繼續逃跑，走進容易迷途
的桃花源裡，希望能擺脫孫悟空的追捕。

「在這裡應該能拖延一點時間，安德魯你的傷勢如何？」

迦南緊張地問。

承受了孫悟空連番猛打，安德魯其實已受傷不淺，是靠著信念才能支持到現在。

　　「迦南……你全都知道了嗎？」迦南雖然沒有追問，但安德魯已察覺她有所不同。

　　「你和依娃的對話，我都聽到了……」迦南把握時間以魔法治療安德魯的傷勢。

　　「那你應該知道和我在一起，會被視為共犯吧？」安德魯想要令雙雙復活，想要捉拿唐三藏，是**不爭的事實**。

　　「我們離開這裡後再說吧。」迦南在忍耐著，她有很多話想說，但危機尚未解除。

　　「對不起，是我錯了……」安德魯緊握迦南的手，現在的局面由他親手造成，就算金鈴是主謀，安德魯也責無旁貸。

　　「*你最錯的地方是對我有所隱瞞，如果你多依靠我一點、多相信我一點，就不會弄得傷痕累累*……」迦南還是忍不住哭出眼淚。

得知迦南是這麼體諒自己，安德魯也泣不成聲，正如心魔所言，迦南不會因此而放棄安德魯，片刻的寧靜差點令他們忘記危險正逐漸迫近。

　　「以為躲起來就有用了嗎？你們不肯現身，我便翻轉這桃花源！」孫悟空的呼喊聲如洪鐘，如意金剛棒變得粗長巨大。

　　孫悟空以巨大化的如意金剛棒橫掃千軍，多高大的桃花樹也被連根拔起。

　　「走吧，長此下去我們遲早會被他抓住……」迦南扶起安德魯。

　　「但我們該逃到哪裡？」安德魯已不知道哪裡還能容納**戴罪之身**的他。

　　迦南扶著安德魯一邊前行，一邊思考，在她扯破結界的時候就有一種難以形容的奇特感覺，像是只要她願意嘗試，就無所不能。

但孫悟空不會等待迦南找出答案，金剛棒如同巨柱從天而降，迦南和安德魯抬頭一望，危險已迫在眉睫。

　　「**靜止魔法！**」千鈞一髮之際，孫悟空和巨柱一同被停止住，會使用和時間有關的魔法的人少之又少，幸好安德魯和迦南認識其中一個。

「約娜？你為什麼會在這裡出現的？」阿諾特的妹妹驚喜現身，迦南大感意外。

「沒時間慢慢解釋了，我的靜止魔法維持不了多久……要立即離開魔幻世界。」約娜的魔法令孫悟空身邊的時間停止了下來。

「只有通過**傳送門**才能穿梭兩個世界，但這裡並沒有傳送門。」安德魯說。

「迦南，你辦得到的。打開能通往人界的傳送門，只要你在腦海想像要去的地方，就能夠去到。」約娜的話令兩人聽得一頭霧水，但迦南已不能再猶豫，因為靜止的時間快要重新動起來。

「打開吧，前往人界的通道。」迦南伸出右手，遵照約娜所說去想像，閃耀幻彩的奇異空間如奇蹟般在她面前張開。

「三十六著，走為上著！」約娜知道她的魔法快失效，挽著安德魯和迦南的手臂躍入幻彩空間。

紅顏知己·下

　　約娜的出現為迦南和安德魯帶來一線生機，迦南成功打開了通往人界的傳送門，三人通過之後迦南立即把門關上，在孫悟空面前逃到人界。

　　「竟然真的成功了⋯⋯實在難以置信。」迦南環顧四週，熟悉的環境令她感到安心。

　　「你對自己的能力知道得太少了，話說回來⋯⋯這狹小的房子是什麼地方？」約娜是出生在黑翼古堡的吸血鬼公主，不了解民間疾苦。

　　「這裡是迦南的家呀。」安德魯到訪人界的時候，曾在這裡居住過。

　　「吓？人類都是在這麼擠迫的環境生活嗎？」約娜驚訝的問。

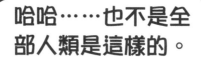

哈哈……也不是全部人類是這樣的。

迦南的家境並不富裕。

人類都習慣生活在積滿灰塵的地方嗎？這樣有損健康的啊。

約娜是第一次到訪人界，對週圍事物充滿好奇。

「我和爸爸媽媽很久沒有回來了，所以沒有人打理衛生，不如我馬上打掃一下……」迦南尷尬地回應。

「不用了，反正我們只逗留一個晚上，明天一早便要起行離開。」約娜說。

我們要去哪裡？為什麼……約娜你好像早已料到我們會出現在桃花源？也好像知道將會發生的事？

安德魯發現事有蹊蹺。

「詳細情況我明天再向你們解釋，你們現在最重要的是記緊一件事。」約娜的確有所隱瞞，但她不是安德魯和迦南的敵人，因為安德魯是她從小仰慕至今的大哥哥。

約娜嚴肅地說：

從現在開始，我們三個都是非法入境者，而且你們二人已是東方魔幻世界的通緝犯。我們不能依靠獵人，也不能指望魔幻世界的妖魔來幫助。

「**通緝犯**……」安德魯感到自責，他連累了身邊的兩個女生。

「其他事情……我們好好睡一覺後，明天再說。」靜止魔法是消耗很大的特殊魔法，奔波了一晚的約娜已十分疲倦。

對安德魯和迦南來說，這晚發生的事情太多了，兩人不約而同無法入睡，在露台巧合遇上。

「你也睡不著嗎？」迦南手中拿著兩杯熱鮮奶，此刻的她，已淪為逃犯。

「上一次在人界時，我被當作殺人犯被獵人追捕，想不到再次來到人界……也是以**戴罪之身**。」安德魯接過對睡眠有幫助的熱鮮奶，他對當日的情況還記憶猶新。

「回想起來，自從我們相遇開始，真的發生過很多驚險的事呢！」冒險的旅程歷歷在目，對迦南來說如同昨日發生的事。

「你……不會後悔嗎？如果沒有踏足魔幻世界，就不會和我相遇，也不會被當成通緝犯。」安德魯戰戰兢兢的問，他想要知道答案，但又害怕得到答案。

迦南搖搖頭挽起安德魯，抬頭看著皎潔的月亮，感受微風吹拂，心裡終於有了踏實的感覺。

「在你失蹤的日子裡，我思考了很多事情……我為什麼來到魔幻世界呢？學習魔法又為了什麼呢？」親眼目睹安德魯被黑洞吞噬後，迦南的內心便出現了一個大洞，唯有積極學習，才能令她暫時忘記悲哀。

「我想將來像我們的父母般遊歷魔幻世界，像唐老師般把力量用在造福社會之上，在保育課上學習到的東西真的很有意義……」迦南回想著在東方魔幻世界的一點一滴。

「但是……無論我在做什麼也在想著你，想要和你分享，想要和你體驗，但你卻不在我身邊。」迦南說著眼泛淚光。

就算走遍大江南北，也只覺患得患失。只要迦南獨處的時候，空虛和失落的感覺便會侵襲她脆弱的心靈。

「所以你不要再想著獨自承擔，一個人去面對了……」眼淚決堤而出，迦南在昏迷時聽到安德魯和依娃的對話，她很清楚安德魯總是選擇自己獨自面對困難。

「就算我面前的道路，會受千夫所指，你也願意和我一起走嗎？」安德魯把迦南擁入懷中。

這一次，安德魯知道他不能再單打獨鬥，他需要迦南的支持。

無論是殭屍大軍、妖魔仙人、或是嗜血的魔咒，只要迦南在身邊，所有難題安德魯也有信心能**迎刃而解**。

　　「你再丟下我的話，我真的不會原諒你的。」迦南邊點頭邊說。

　　「謝謝你，我不會再離開了。」確認了迦南的心意，安德魯更能下定決心，他要修復過失，把一切**重回正軌**。

　　「在你回來之後，我每晚都會驚醒過來⋯⋯早上一睜開眼睛，就怕找不到你，害怕你回來的事只是一場夢⋯⋯」迦南一直受患得患失的感覺困擾，落難人界後，反而令她心裡踏實。

「**不會了，以後也不會了。**」安德魯喝了一口熱鮮奶，說出心底話後，相信他和迦南今晚也能做個美夢。

「快點去睡吧，我們明天一早便要起床。」比起熱鮮奶，安德魯的微笑對迦南更有安眠功效。

「但是……迦南你這麼久沒有回家，這鮮奶不會過期了嗎？」安德魯只淺嚐了一點，已發現鮮奶有酸酸的味道。

「**糟糕了！**」迦南連忙跑去確認鮮奶的食用限期。

迦南不是個心思細密的女孩，然而在安德魯眼裡卻是可愛得無可取代的存在。漫長的一晚終於過去，就算他們的明天會遇上更多難題，但至少他們已在彼此的身邊。

「約娜，你也喜歡著安德魯那小鬼嗎？」瓶中的依娃問躲在一旁偷聽的約娜。

半夜醒來的約娜看見露台的二人，本來想加入一起聊天，但聽到他們的對話後便躲藏起來。

「嗯……但我想，我對安德魯哥哥的喜歡，和迦南對他的，是不一樣的。」日漸長大的約娜，開始了解自己的心意。

「更重要的是……如果我繼續喜歡著安德魯哥哥，會令他們很困擾吧？」雖然約娜沒有把話說出口，但心底裡也愈來愈喜歡迦南這個為愛情**奮不顧身**的女生。

「放心吧，我能看出你將來會成長為一個很不錯的女生，一定會找到比那陰沈小鬼更好的男人。」不死族的依娃雖然保持著少女的外表，但其實已**人生經驗豐富**，而她所仰慕的男人，更是同樣藏身在人界之內。

第六章

通緝令

人界獵人咖啡廳內，艾翠絲一大清早便被分部長召集到此，他希望在**壞消息**來到前率先告知艾翠絲，好讓她能早點有心理準備。

「從今天起，你不用再跟著阿諾特了。」分部長神色凝重。

「為什麼？」艾翠絲緊張地問。

你們昨晚的行動已經驚動了獵人公會總部，總部將會特派專員來調查並且追究責任，你是公會的一分子，是時候和阿諾特劃清界線了。

分部長希望至少能保護艾翠絲。

「慢著……我們昨晚的行動還未來得及上報，為什麼總部會知道呢？而且我們沒有做錯事呀，那裡是拿人類做實驗的**非法場所**，我們還發現了右京的蹤影。」艾翠絲問心無愧，她為拯救了小靈而自豪，也為阿諾特的仗義行為感到喜悅。

「是受害人聯絡總部的，你們損毀了他們的財產，可幸他們不追索賠償，只要

求將作案的妖魔繩之以法。」分部長所擔心的事正在發生。

　　艾翠絲理直氣壯，就算要當面對質也不害怕：

受害人？他們才是加害者呀！為什麼總部會顛倒是非黑白的？我一定要向他們解釋清楚。

　　「你還未明白嗎？這一次的敵人，是公會的重要資助者，是總部特別守護的對象。」分部長明白總有一天，要讓艾翠絲面對社會上存在不公平的現實。

　　「你的意思是……只要是資助公會的人，就能在人界為所欲為，也不用接受刑罰嗎？」艾翠絲對自己效力已久的組織感到十分陌生。

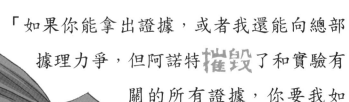

「如果你能拿出證據，或者我還能向總部據理力爭，但阿諾特摧毀了和實驗有關的所有證據，你要我如何令人信服？」分部長已無計可施，只希望艾翠絲不受牽連，否則她的獵人生涯可能就此結束。

如果我能拿出證據，阿諾特就不用受罰嗎？你能答應我公會總部會秉公辦理，不徇私枉法嗎？

艾翠絲想到還有一樣證據沒有被摧毀。

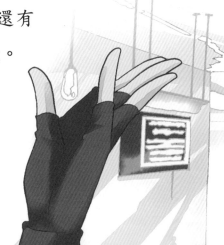

「艾翠絲啊……難道你不能多為自己著想嗎？」分部長不敢許下承諾，這超出他的職權範圍。

「我答應過阿諾特，只要他保持初心，不作傷天害理的事，我一定會站在他的身邊。」艾翠絲知道對話已解決不了問題。

「信守承諾，是我作為獵人堅守的原則。」艾翠絲想趕在總部派出的獵人出現前，盡快通知阿諾特。

突然一把聲音插進來。
公會派來的獵人，似乎比預期更早出現……

你所說的證據，
真的存在嗎？

循聲音望過去，只見紅髮的男人推開咖啡廳的大門，而他身上的藍色獵人制服，是守望者的象徵。他正是公會最**高級獵人**，守望者之一的加百列。

「幸會，你就是丹妮絲的弟子——艾翠絲了吧？」加百列面帶微笑和艾翠絲握手，他的年紀，竟和艾翠絲相差無幾。

「加百列，你比我們約定時間早了很多呢。」分部長雖然是長輩，但職級遠遠低於加百列。

獵人公會史上**最年輕**的守望者——加百列的名字在人類世界的妖魔耳中，是有如死神般可怕的存在。

「因為事態嚴重，總部十分緊張啊……所以我還未吃早餐便趕來和你見面，既然這裡是咖啡廳，能有勞分部長你為我準備嗎？」加百列態度和藹親切，和艾翠絲想像的判若兩人。

「你認識我的師父嗎？」艾翠絲想試探對方是否友善可信的人。

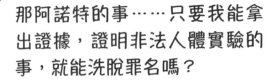

當然認識，她可是我尊敬的前輩啊……關於她被右京綁架一事，你和你的哥哥不用擔心，總部一定會查出她的下落。

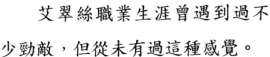

那阿諾特的事……只要我能拿出證據，證明非法人體實驗的事，就能洗脫罪名嗎？

艾翠絲職業生涯曾遇到過不少勁敵，但從未有過這種感覺。

加百列散發的魔力神聖不可侵犯，強大但溫暖柔和，不會給人危險壓迫的感覺。

對呀，有證據證明他清白的話，總部又怎會留難他呢，公會派我前來也只是按程序辦事罷了。

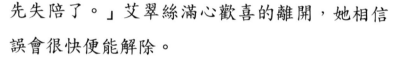

　　加百列一臉不在乎，徹底矇騙了入世未深的艾翠絲。

　　「那就太好了，前輩！我先失陪了。」艾翠絲滿心歡喜的離開，她相信誤會很快便能解除。

　　「現在的獵人都太單純了⋯⋯證據這種東西啊，只要再次銷毀就和不存在一樣了。」加百列看著艾翠絲的背影說。

阿諾特畢竟是魔幻王國派來的幫手，總部不能看在阿瑟國王份上，放他一馬嗎？

分部長端出豐富的早餐，愁容滿面的說。

「這裡是人界，是以人類福祉為優先的世界啊⋯⋯放任那囂張的吸血鬼不管，必定會危害人間。」總部的決定是不容質疑的，而守望者則會不擇手段，去完成總部的命令。

加百列微笑著說：

謝謝你的早餐，那麼……
我也是時候認真工作了。

分部長低落的心情久久難以平復，他曾經
也**熱血方剛**、**堅守原則**，為獵人的身份
而自豪。但現實世界存在很多令人沒法堅守原
則的時候，就像艾翠絲將要面對的情況。

東方學園內，孫悟空已回復小猴的狀態。
變回小猴後他不肯再離開望月樓半步，生怕自
己一離開，唐三藏便會遇到危險。

鐵扇公主前往校長室向麒麟校長說出她所看到的經過。望月樓外學生和守衛傷亡慘重，白龍更是**命懸一線**，校方必須追究責任，而金鈴和安德魯就是最大的嫌疑犯。

　　「校長，還未找到金鈴嗎？」鐵扇公主從一開始，就不信任女兒國的使者。

　　「我已派人連夜搜索，找遍學園也不見她的蹤影。」校長搖搖頭說。

　　「金鈴是女兒國的將領，顯然她是奉女帝之命行事，她想捉拿唐三藏只有一個原因，就是女兒國勾結妖魔仙人！」鐵扇公主得出結論。

　　「我已廣發對金鈴和安德魯的通緝令，唯有把兩人緝拿歸案，才能定斷。」麒麟校長不能單信鐵扇公主的**片面之詞**。

　　在找出真相之前，東方學園將會徹底封鎖，對安德魯的通緝也不會結束。

第七章

殺機四伏

　　人界的一間連鎖快餐店內，迦南、安德魯和約娜剛填飽了肚子，約娜看著電視新聞報道，發電廠的事件被偽裝成單純意外事故，沒有人知道那是和妖魔有關。

「這世界的人真虛偽⋯⋯比阿瑟國王更愛說謊。」約娜邊吸啜汽水邊說。

「約娜，你還未告訴我們為什麼你會在桃花源出現？」安德魯問。

全靠約娜及時趕到，安德魯和迦南才能避過孫悟空的追捕，再告知了迦南自己也不知道的神奇能力。

「我在西方學園除了課堂的時間外，一直在鑽研靜止魔法，這是我與生俱來的能力，但是⋯⋯時間系魔法**博大精深**，我的進展一直十分緩慢。」約娜是少數能使用時間系魔法的人，就連她的哥哥阿諾特亦沒有這天賦。

「一次偶然的機會下，我探索到時間系魔法的新領域，看到短暫的未來。」綜觀整個西方魔幻王國，就只有大賢者尤莉亞能準確預知未來。

但我還未能靈活使用，只有僅僅一次能成功看到未來……就是你們遇上危險的情景。

約娜想盡快通知安德魯和迦南，所以前往東方學園。

「而迦南，其實我也不確定你能打開來往兩個世界的傳送門……這是金黃魔力持有者獨有的能力，但又不是每個

金黃魔力持有者都能做到。」比安德魯和迦南年輕的約娜，再次表現出成熟可靠的一面。

但約娜沒有把實情全部告知安德魯和迦南，她說話的時候

不時搔癢鼻子，這是她在**說謊**時不自覺地做出的小動作。

「我……很擔心雙兒和雙雙的處境，銀鈴是金鈴的妹妹，她們都是效命於女帝鳳禧。」雖然**自身難保**，但安德魯還記掛著有恩於他的馬家姐妹。

「我們……不能偷偷回去東方魔幻世界嗎？」迦南也很希望親自向馬家姐妹道謝，是素未謀面的她們，拯救了自己的心上人。

「在安德魯的嫌疑洗脫前，我們絕對不能被抓到，現在回去東方魔幻世界只會自投羅網，除非……」約娜正在思考對策。

「除非迦南能完全掌握打開傳送門的方法，這樣我們就能隨時**自由穿梭兩界**。」安德魯想到最佳方法。

「對，我們需要在不會被獵人追捕的安全地方，讓迦南進行特訓。」約娜說。

相傳第一個金黃魔法持有者在製造了魔幻世界後，還能自由穿梭兩界。這種珍貴的能力

遺傳到她的轉生身上，迦南需要做到的，是喚醒體內潛藏的這份記憶。

「安全的地方嗎？」迦南**苦煞思量**，也想不到哪裡是獵人不會出現的地方。

「我們起行吧，我知道哪裡最安全。」約娜已決定好下一個目的地。

雖然**初來乍到**，但約娜對人界並不陌生，因為她在人界有十分熟悉的人。

唐樓診所內，阿諾特和露比帶著小貓女菲蕾前來迎接小靈回家。

「小靈，你突然昏倒過去，嚇死我了！」
菲蕾抱著小靈哭哭啼啼，她已擔心了一整個
晚上。

　　「對不起，害大家擔心了……」小靈常常
把道歉的說話掛在嘴邊。

「你沒有做錯什麼，錯的是把你弄成這樣的人。我答應你，我不會就此罷休的，那些喪盡天良的傢伙一定要付出沈重代價。」阿諾特也徹夜難眠，因為他心中的怒火還未平復。

「小靈，你不要再使用占卜能力了，那會令你的身體變壞的。」露比撫摸著小靈的臉頰，她不希望再有孩子被當成實驗品。

「但是我的能力，能為哥哥姐姐帶來好處啊。」小靈以為這些大人也想利用她的能力。

「在我們的大家庭裡，你只需要健健康康地成長，其他事情便交給大人去辦吧。」阿諾特已成**一家之主**，這家族成員之間沒有血緣關係，但有著不可分割的牽絆。

只可惜愈是珍貴的東西，愈易成為自己的弱點，自命不凡的阿諾特不知不覺間多了很多弱點。

此時，阿諾特的手機響起鈴聲，原來是艾翠絲的緊急來電，她要把守望者出現的消息告知阿諾特，公會總部已把阿諾特當成**罪犯**。

接到艾翠絲的來電後，阿諾特約定和她在中央公園見面，露比已帶著一對小孩先行離開，他不想讓小孩聽到難以接受的壞消息。

「公會總部行動這麼迅速，看來我們的敵人對公會來說十分重要呢。」阿諾特皺著眉頭說。

「*當務之急*是交出證據，證明非法人體實驗是千真萬確，那麼公會便不會追究摧毀發電廠的責任。」艾翠絲想為阿諾特討回公道。

「證據？你指的證據是什麼？」阿諾特問。

「小靈，她就是人體實驗的受害者，只要把她交給公會，就能洗脫你的嫌疑。」艾翠絲說。

「我不會把小靈交給別人的，這只會害她再次淪為實驗品。」阿諾特猜測事情不會這麼簡單。

小靈精準的占卜，是很多人夢寐以求的能力，而且阿諾特不是她的監護人，交給公會的話，只會令她回到右京的手中。

「怎會呢？公會一定會好好保護她，待還你清白之後，你們還是能見面的。」艾翠絲信任自己效力的組織，她從未質疑過公會的正義。

阿諾特的猜測並沒有錯，來自公會的殺機已近在咫尺。

第八章
初戰守望者

　　小心！　阿諾特用力把艾翠絲推開，
並向後迴避穿插在他們之間的光彈。

　　加百列和艾翠絲握手時，在她的手心施加
了追蹤魔法，他知道艾翠絲一定會聯絡阿諾特。

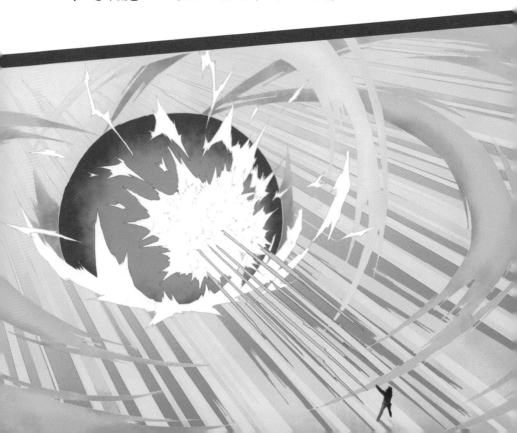

平民百姓看到拿著手槍的加百列紛紛躲避，中央公園已成為獵人狩獵妖魔的屠宰場，聖光的加百列和黑焰的阿諾特首次碰面已氣氛緊張。

「你就是公會總部的守望者嗎？一言不發便向我展開攻擊，太沒有禮貌了吧？」阿諾特**聚精會神**，黑色的火焰在兩手焰起。

「面對犯罪妖魔又何須計較禮儀呢？」加百列和艾翠絲一樣兩手使用手槍，但加百列的金色手槍不需裝填子彈已能發射出光彈。

「阿諾特！」艾翠絲沒想到加百列會暴力執法，還未經過審判已向阿諾特定罪。

把魔力正接轉化成攻擊的黃金雙槍，原理和迦南的魔力弓箭一樣，但更快更猛。

「**黑焰巨盾**。」阿諾特及時築起防禦，加百列的攻擊以快速和密集見稱，把阿諾特狠狠壓制。

「我姑且給你一次機會，交出實驗品然後滾回魔幻世界，只要你不再踏足人類世界，我承諾**饒你一命**。」面對阿諾特，加百列不再和藹可親，現在的他是冷酷的執法者。

　　「守望者的口氣真大……在我收拾右京之前，就拿你來熱身熱身吧！」阿諾特轉守為攻，任何輕視他的人他都不會放過。

　　「你竟然拿黑市獵人和守望者相提並論，實在有眼無珠。」只要魔力充足時間，加百列的手槍便有無限的子彈。

　　在加百列槍林彈雨的攻勢下，阿諾特以靈活的步伐逐漸接近。

黑色火焰箭雨！

　　阿諾特一躍而起，黑焰如雨落下，他要以其人之道，還治其人之身。

「貫穿黑夜的曙光。」

　　加百列所使用的是神聖而且強大的光魔法，兩把手槍並排射出的鐳射光束貫穿了阿諾特的肩膀。

　　「嘖……」阿諾特被打得措手不及，站在公會頂峰的七名守望者全都**技壓群雄**。

　　「你選擇投降，還是被我當場處決？」加百列不怒而威，下一發鐳射光束將會取下阿諾特的性命。

　　「慢著！就算是總部下的命令，也不能未審先判！」艾翠絲擋在阿諾特前面。

　　「你想清楚了嗎？妨礙守望者執法，包庇犯罪妖魔，這些都是足以被取消獵人資格的罪行啊。」加百列不肯罷休，他不介意連同艾翠絲一併傷害。

「艾翠絲，你快讓開。」阿諾特感
到加百列散發滿滿的殺意。

守望者被公會賦予最高權力，在執行職務時就算造成**人命傷亡**也不會被追究。在阿諾特還在思考對策之際，分部長召集了更多獵人趕到現場。

「阿諾特，投降吧。」分部長的出現令加百列也感到意外。

「對付一隻吸血鬼，有必要出動這麼多獵人嗎？」加百列知道分部長別有用心。

加百列分心的瞬間，已足夠阿諾特化險為夷。

「黑焰龍捲魔法！」阿諾特趁機捲起猛火，獵人們一時之間難以接近。

「你等我，我會再聯絡你的。」阿諾特在艾翠絲耳邊輕聲說，然後伴隨黑火焰消失於人前。

阿諾特不能帶著被施加追蹤魔術的艾翠絲逃跑，就算艾翠絲曾許下承諾，此刻也不能再站在阿諾特身邊。

艾翠絲驚魂未定，剛才發生在她面前的事，是她從事獵人行業以來未曾發生過的。

「你是存心阻礙我執行職務的吧？」加百列質問分部長。

是執行職務，還是當眾行刑？就算你是公會總部的高層，剛才的行為也未免太過分了。

分部長帶著大批獵人到來，是為了阻止加百列殺害阿諾特。

守望者行為激進，獨斷獨行，並不是所有獵人也認同他們的作風。

「過分與否，不是你決定的。我已經提出讓步的方案，只是阿諾特不願接受罷了。」交出小靈並禁止踏足人界，加百列的確提出了暴力以外的解決方案。

「如果他肯答應，你打算怎樣對待小靈？」艾翠絲深深體會到加百列的*冷酷無情*，若非分部長和獵人們及時出現，她和阿諾特可能已被聖光一同貫穿。

一直以來艾翠絲都受分部長和丹妮絲等上級照顧，她不用顧慮任務以外的事，只需要按照命令，接受指揮就足夠，從未質疑過公會是否公平公正對待每一個嫌疑犯。

「既然她是 **證據** ，我當然會親手帶她回總部接受保護，再作詳細調查。」加百列是否可信任，艾翠絲已充滿疑問。

但為公會效力，艾翠絲便只能奉命行事，因為公會需要的，是忠誠和服從的獵人。

肩膀受傷的阿諾特逃到發電廠的位置，這裡在事故後只餘下頹垣敗瓦，四週更圍上封條確保平民百姓不會進入，沒有人會想到阿諾特會藏身於此，他只通知了奇洛和露比這兩位親信前來。

人狼奇洛邊為阿諾特包紮邊問。

「公會總部派來的守望者一定還在找我，如果我在這時候回教堂，很可能曝露你們的行蹤，所有人也會受到威脅。」阿諾特要守護他辛辛苦苦建立的家庭。

「但是這次的對手，和以往的不能相提並論……守望者是在人類生活的妖魔最害怕的東西，從未有妖魔能在他們手上**逃出生天**。」奇洛十分擔心。

「我剛才不是逃脫了嘛，任何事也會有先例，**規矩是要來打破的**。」阿諾特總是遇強愈強，散發能吸引別人追隨的光芒。

「我也很同情小靈……但是老大，為了大局著想，難道我們不應該把非親非故的小靈交出來嗎？」露比的內心十分掙扎，但她實在想不到更好的方法。

「我們本來都是**非親非故**的陌生人，你知道是什麼牽引我們在一起嗎？」阿諾特反問露比。

「我不知道……」露比垂下頭說。

「是信任。信任一旦瓦解，我們便什麼也不是，如果我背棄小靈，又如何取得你們的信任？」比起靠血緣維持的關係，阿諾特更相信他以信任所組織的大家庭。

「最起碼……讓我們和你一同對付守望者吧。」奇洛知道無法說服阿諾特。

「不，你們回去教堂照顧孩子們，如果我落入公會手中，你們還要帶著孩子們逃到**無人知曉**的地方。」阿諾特決定獨自解決，他有想從守望者口中知道的事。

「但是……」露比擔心這會是她和阿諾特最後一次見面。

阿諾特**胸懷大志**，獵人中最高級別的守望者是他必須超越的對象。

阿諾特不打算繼續逃跑，他要在這裡和加百列一決雌雄。

第九章

命中注定

約娜帶著安德魯和迦南來到蜂后的古董店，這裡就是她的目的地。

「**歡迎光臨**，三位年輕的客人在找什麼商品呢？」蜂后親自迎接，而個子小小的蜜蜂妹妹全都投來好奇的目光。這裡很少有陌生的客人光顧，而且一次過來了三位更是少之又少。

「這裡不是普通古董店，所有物品也散發著魔力。」迦南被其中的一面舊鏡子吸引了目光。

「蜂后，我是來人界找我哥哥的，你知道他在信上說的大本營在哪裡嗎？」約娜取出一封阿諾特寫的**親筆信**。

信件的內容分享了他在人界發生的事，以及這古董店的地址，他為免信件落入他人手中而泄露大本營的位置，教堂的所在地只有他信任的家人和蜂后知道。

　　「阿諾特？他也在人類的世界嗎？」安德魯問。

　　「你是阿諾特的妹妹？流著吸血鬼皇室血統的公主陛下？」蜂后小心謹慎的檢查信件，確認字跡是否偽造。

　　想要對付阿諾特的人愈來愈多，蜂后不敢草率向客人提供情報，直至她看到信後那幅相片，那在教堂外的大合照。

「我有重要的事找我哥哥，你能提供他的地址嗎？」約娜在人界的熟人，就是她的親生哥哥阿諾特。

「當然可以，三位可是十分特別的客人，你們有喜歡的商品嗎？」蜂后微笑著說。

迦南走到鏡子前，鏡子映照出她的樣子，但衣著卻和現在的不一樣，像是中世紀的歐洲服飾。

「迦南，怎麼了？」看見迦南**目不轉睛**盯著鏡子，安德魯也靠在她身邊一起細看。

「你的服裝也改變了！」迦南覺得十分神奇，安德魯變成穿上鎧甲的吸血鬼騎士。

「那面鏡子是『轉生魔鏡』，是可以照出你們前世樣子的魔法鏡。」蜂后的店舖，多的是不可思議的商品。

「前世的⋯⋯樣子？」迦南還未知道自己的前世，是創造了魔幻世界的第一個金黃魔力持有者。

這件事本來只有大賢者尤莉亞和九頭蛇海德拉知道，尤莉亞在安德魯失控暴走時曾告訴了他，事後安德魯便被吸進黑洞魔法，一直未有機會說出，而且他也不知道該如何說明。

「這店舖內⋯⋯藏著擁有很強魔力的東西。」安德魯望向牆上掛著的兩個木盒。

「我也能感覺到。」木盒散發的魔力像在呼喚迦南和安德魯。

「每一件優秀的魔法道具，都有它的名字和**命中注定**的主人。」蜂后為兩人取下了木盒，並把兩個木盒分別交到兩人手上。

「這支魔法杖⋯⋯很漂亮。」迦南打開木盒，黃金的手把，銀白的杖身，華麗而優雅的魔法杖映入眼簾。

「『女王的權杖』和『嗜血的帝王』，這兩支魔法杖看來找到自己的主人了。」蜂后展現滿意的笑容，比起為客人找到喜歡的商品，她更熱衷於為商品找合適的主人。

「嗜血的……帝王嗎？」安德魯握起**黑**色杖身配合**深紅**色手把的魔法杖，手感有如度身訂做。

「我們可以買下這對魔法杖嗎？」迦南和安德魯逃亡的時候什麼也沒有帶備，包括原有魔法杖。

「但是……我們手頭上沒有足夠金錢。」安德魯現在也**身無分文**。

「這對魔法杖是不可多得的珍品，就算是有錢也買不到的。」蜂后微笑著說。

迦南和安德魯對視了一眼，兩人雖然感到十分可惜，但還是把魔法杖還給蜂后。

「但昨天晚上，已有人預先為你們結帳，

這兩支魔法杖已屬於你們了。」蜂后看著約娜露出意味深長的笑容。

「真的嗎？是誰替我們先結帳了？」迦南喜出望外，新的魔法杖很合她的心意。

關於客人的個人訊息，我一概保密。

「但我們要怎樣報答這人的恩情？」無功受祿令安德魯過意不去。

「你們就安心使用這對魔法杖吧，相信這就是她最想看到的事。」蜂后說著目光停在約娜身上。

「我們出發吧，不知道哥哥來到人界後已經闖出多少禍。」約娜猜得沒錯，阿諾特開罪的人愈來愈多，而且一個比一個難以應付。

蜂后看著眾人遠去的身影，她和約娜一樣有事隱瞞著安德魯和迦南，為他們結帳的神秘人和約娜也有**一面之緣**，但這個人並不是敵人，而是幫助他們渡過這次難關的貴人。

爆炸過後，發電廠一帶猶如廢墟，就算再受到破壞也不會對別人造成損失，對阿諾特來說，這是最適合用來和守望者加百列一決勝負的地方。

以牙還牙、以眼還眼，這是阿諾特的原則。只不過這一次，除了原則之外，他還要驗證一件事。

「按照約定，我一個人前來赴約了。」加百列**單刀赴會**。

較早前，阿諾特以信件聯絡艾翠絲，約加百列前來廢墟，只要加百列遵守約定獨自前來，他就會交出人體實驗的證據——**小靈**。

「把小靈交給你後我便會回去魔幻世界，你會遵守約定放過我的同伴吧？」阿諾特放開小靈的手，讓她走向加百列。

「沒有其他妖魔的氣味……我以為你會齊集人馬埋伏我，這樣的話你或者還有一線生機。」加百列毫不猶豫拔出**黃金雙槍**，全力射出的光束直指小靈和她身後的阿諾特。

加百列由始至終也不打算遵守承諾，他是公會總部派來的屠夫，是冷血的**劊子手**。

第十章

聖光對黑焰

光束穿過小靈的瞬間，小靈化作煙霧消散。阿諾特及時以火盾抵禦。他並沒有放棄小靈，以魔法製造小靈的假象，只為驗證一件事。

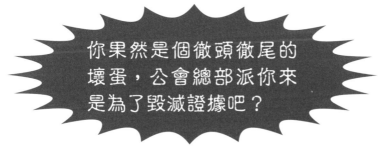

你果然是個徹頭徹尾的壞蛋，公會總部派你來是為了毀滅證據吧？

阿諾特火冒三丈，他最討厭傷害老弱婦孺的人。

「想不到你有點小聰明呢，不只小靈，你也是我行刑的對象。人類的科技準備進入全新的領域，你這不知好歹的傢伙卻在阻頭阻勢。」加百列目露凶光，神聖的魔力也掩蓋不了他濃濃的殺氣。

「殭屍礦洞的**發光水晶**，用它作力量驅動的武器，還將它強行移植到人類身上，令沒有魔力的普通人也能使用魔法⋯⋯這就是你所說的新領域嗎？」阿諾特把多條線索連結起來，得出這一個結論。

「事到如今，告訴你也無妨。沒錯，你所追尋的幕後主事人，正是這技術的開發者。這革命性的技術將會帶領人類進入新時代⋯⋯所有人類也能使用魔法的時代。」既然不讓阿諾特活著離開，加百列不介意把真相和盤托出。

「魔法能令人類更長壽，以更低成本得到更高效益，只要把魔法和科技結合，人類世界再也不會出現貧窮和飢餓，這正是人類希望達到的**完美世界**。」這也是加百列嚮往的世界。

「那海德拉呢？他們把海德拉囚禁起來又為了什麼？」阿諾特問。

「**九頭蛇**擁有無與倫比的強大魔力，就算抽光注入魔力石內也很快回復過來，他比核電廠更有效能，未來魔幻世界的妖魔也會和他一樣，淪為為人類服務的電池！」

加百列把發光水晶稱為魔力石。他收起手槍，取而代之的是一柄光束魔劍。

「想不到令整個西方陷入危機的海德拉，竟會落得如此下場，你們人類真令我大開眼界！」阿諾特凝聚黑焰為火劍迎擊。

阿諾特成功引導加百列說出有用的情報，發電廠一役後他已苦無線索，現在他有了繼續追蹤的方向。

「可惜你不會有命看到，由天啟財團帶來的新世界！」加百列的光束劍威力驚人，足以撕裂大地。

「瘋子，你期望的世界是不會來臨的！」阿諾特被打得節節敗退，加百列的實力顯然在他之上。

「黑焰龍捲魔法！」阿諾特施展渾身解數。

「雕蟲小技。」但黑火焰卻被變得更巨大的光劍**一分為二**，更在阿諾特胸口留下長長的傷痕。

阿諾特順利得到線索，但他卻誤判了雙方的實力差距。

「經歷了早上和我的戰鬥，現在還有魔力使出黑焰魔法，你已很不錯了。」加百列的光束劍熄滅了。

「但我還有很多魔力石，在我用之不竭的魔力面前，你只是隻待宰羔羊。」加百列取出魔石力，回復他已耗盡的魔力，光束劍又再充滿力量。

當魔力能像電池般替換補充，再強大的妖魔也不再是威脅，人類將站於妖魔之上。

一直躲在附近的艾翠絲終於忍耐不了，持槍指向加百列……

「停手！」

「笨蛋……我不是說過錄下他的自白後，你便要馬上離開嗎？」阿諾特傷勢嚴重，胸口**血流如注**。

「你才是笨蛋，如果我不出手阻止，他會殺掉你的！」艾翠絲不能對阿諾特袖手旁觀。

「就算多你一個也只會送死的！」阿諾特之所以叮囑艾翠絲帶著證據離開，是不想她白白犧牲。

「戀上吸血鬼的獵人嗎？這等於背叛神聖的公會。」加百列邊步向艾翠絲邊說。

「停下來！」艾翠絲連開數槍。

「放心，我很快會送你們往地獄團聚。」但子彈被光束劍全數擋下。

「**混蛋！**」阿諾特失血過多，只能看著加百列的光束劍揮向艾翠絲。

漆黑的狂風迅速捲到加百列面前，來者的瞳孔閃耀紅光。

「今天誰也不會死在這裡。」

安德魯拿著全新的魔法杖——嗜血的帝王，快速畫出魔法陣。

「轟雷束縛魔法。」新的魔法杖令安德魯的魔法大大提升。

「我認得你⋯⋯你是東方下令通緝的逃犯。」雷電令加百列全身乏力。

「雖然不清楚發生了什麼事，但向我的朋友揮劍的一定不是好人，爆雷魔法升級！」安德魯感覺力量源源不絕。

「收拾一隻吸血鬼和收拾兩隻吸血鬼，根本沒有分別！」頑強的加百列想強行衝破雷電的束縛，不理傷勢再次揮劍。

「這傢伙真的是人類嗎？」面對強悍的守望者，安德魯也嚇了一跳。

「靜止魔法！迦南，拜託你了！」幸好前來增援的不只安德魯。

「傳送門……開！」迦南嘗試回想當時拯救安德魯的感覺，在加百列腳下打開傳送門。

「是……女王？」加百列動彈不得，但最令他感到意外的，是迦南。

傳送門把加百列送到迦南也不知道的地方，她還未能掌握這種強大的力量。

「得救了……」鬆一口氣的艾翠絲馬上跑去阿諾特身邊。

「你果然沒有死掉，安德魯。」

阿諾特早有預感，安德魯不會敗給黑洞魔法。

「你還是先擔心自己吧，阿諾特。」昔日

的對手再次重逢，不過現在這兩位吸血鬼也是

戴罪之身。

哥哥！你果然在
人界闖禍了。

約娜和阿諾特也久

未見面。

117

「你為什麼知道我在這裡的？」阿諾特輕拍妹妹的頭顱。

> 我在教堂找到你的同伴，他們說你在這裡遇上麻煩了。

約娜在阿諾特眼中還是那需要人照顧的小妹妹說。

「如果你們沒有出現，麻煩就大了……不過既然我**大難不死**，一定不會就此罷休。」

對阿諾特來說，和守望者的一戰是重要的一課。

「我們先離開這裡再算吧，迦南自己也不知道傳送門會把他傳送到遠或近的地方。」約娜說。

阿諾特和安德魯的重逢，意味著兩人各自的線索終於能連繫在一起，得到阿諾特的庇護，迦南也可以安心鑽研那潛藏在她體內的**神奇力量**——

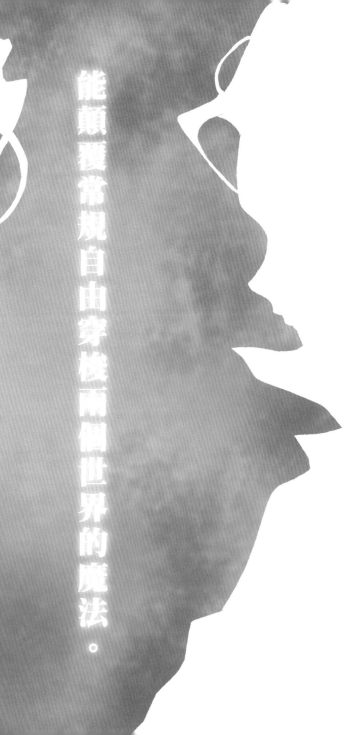

能顛覆常規自由穿梭兩個世界的魔法。

人界中一片四野無人的沙漠之內，加百列
呆坐了片刻，迦南只用了一瞬間便把他傳送到
千里之外，而且不用畫出魔法陣，資歷豐富
的守望者們都知道這是什麼能力。

「抱歉，討伐阿諾特的任務失敗了。」
加百列向委托他前來的幕後主謀匯報。

　　加百列並且過分自信地向阿諾特透露了，
妄想改變世界的，喚作天啟財團。

　　「但我終於找到了……回來帶領人
類的女王。」加百列眼中充滿憧憬和期盼。

　　很久很久以前，獵人公會是基於對一個人
的信仰而誕生的，那個人被視為女王、那個人
是第一個擁有金黃魔力的人。

我的吸血鬼同學

亦敵亦友的安德魯和阿諾特再次碰頭，
同樣淪為通緝犯的他們要如何讓一切回到正軌？

迦南為了掌握「女王」的真正力量而展開時間旅行，
「轉生魔鏡」將會讓她看到上輩子和安德魯發生的故事。

公主訓練班
LESSON 5 隊長爭奪戰

vol 1-5 經已出版 每冊港幣 $68

作者 陳四月

繪畫 魂魂 SOUL

守護我的 4騎士

水瓶座的魔法筆 I

守護我的 4騎士 I 水瓶座的魔法筆

售價 $68

2022年聖誕獻禮 隆重出版

綠野仙蹤

奇幻物語

桃樂絲與叔叔乘船到澳洲探親的途中遇到海上風暴，
桃樂絲與一隻黃母雞漂流到一處奇幻的國度，重遇奧茲國的老朋友，
並一起前往諾姆精靈的地下王國，拯救被禁錮的埃弗國皇室成員。

魔法物語，從此展開！

我的吸血鬼同學

創作繪畫	余遠鍠
故事文字	陳四月
策劃	YUYI
編輯	小尾
設計	siuhung
實景	張耀東
出版	創造館
	CREATION CABIN LTD.
	荃灣美環街 1-6 號時貿中心 6 樓 4 室
電話	3158 0918
發行	泛華發行代理有限公司
	香港新界將軍澳工業邨駿昌街七號二樓
印刷	高科技印刷集團有限公司
出版日期	2023 年 2 月
ISBN	978-988-76569-4-4
定價	$68
聯絡人	creationcabinhk@gmail.com

創造館
CREATION CABIN